Koleksyon Bon Sitwayen

Alix Se Fawouchè

Maude Heurtelou

Tit	: Alix se Fawouchè
Otè	: Maude Heurtelou
Penti sou kouvèti a	: Patrick Noze
Mizanpaj	: Stacey Louidor & Timothee Gaston

Pou tout enfòmasyon, kontakte:

Educa Vision Inc.,
2725 Nw 19th Street,
Pompano Beach, FL 33069
Telefòn: 954-968-7433
Fax: 954-970-0330
Imel: educa@aol.com
Web: www.educavision.com

Alix Se Fawouchè

Alix se yon fawouchè. Kote li pase, menm si li an dènye, se pou li pase pou premye. Lotrejou, li pouse Franswa pou li ka bwè dlo nan tiyo a anvan, malgre li te dèyè Franswa. Franswa gade li, li pa di anyen.

Semèn pase, Alix pouse Janklod ki te chita sou balanswa lekòl la. Li pran plas la, epi li di Janklod:

"Vin pran balanswa a si ou kapab." Joslin ki te la, li di Alix:

-Men, Alix, ou se yon fawouchè!

-Alix reponn: "Se sa menm!"

Janklod gade Alix, li di: “Ti gason sa a, fawouchè papa. Pito mwen rete lwen li.” Epi, se konsa, tout timoun nan katye a vin pran abitid rete lwen Alix.

Pita, Alix wè Janklod ak Joslin pral monte chwal nan pak la. Li gen tan vini, li kouri pran pi gwo chwal la. Epi, li kòmanse ap chante byen fò :

"Alix se fawouchè, Alix se fawouchè, s ak pa kontan, vini m kale yo."

Janklod ak Joslin monte chwal yo byen trankil, yo pa okipe Alix.

Lè manman Joslin rele timoun nan katye a vin manje ponmkèt li fè pou yo, Alix kouri pran devan, li pran tout ponmkèt yo pou li, epi, li kite yon sèl grenn nan asyèt la pou lòt timoun yo pataje. Li pa menm di mèsi, li vire do l, li ale ak pòch li plen.

Lè Joslin wè sa, li di: “Sa pa janti, monchè. Manman m te vle pou nou chak gen yon ponmkèt!”

Alix reponn: “Ebyen, si ou pa kontan, kouri sou mwen.”

Chak timoun nan katye a k ap pase, Alix rele l ak yon vwa sinik: "Hey, vini m ba w yon siyad!" Lè konsa, timoun yo chanje wout, yo pa pase pre li.

Gen yon ti gason ki nouvo nan katye a, Alix rele l, epi, li ba li yon zoklo san rezon. Ti gason an sezi, li kouri ale. Lòt timoun yo di: "Sa pa jis! Sa se abi!" Lè Alix tande sa, li pran chante:

"Mwen se Alix, men mwen!
Mwen fawouchè, men mwen!
Si n pa kontan, men mwen!
Kouri sou mwen, men mwen!
M ap kofre nou, men mwen...!"

Timoun yo pa okipe Alix, yo deplase, yo ale jwe yon lòt kote, men, Alix suiv yo. Li pwoche yo, epi, li pran chante:

" Janklod se kapon,
Joslin se kapon,
TiPòl se kapon,
Nou tout se kapon,
Si nou pa t kapon,
Nou pa ta kouri pou mwen."

Tout timoun yo kouri ale lakay yo. Janklod pa kapon. Joslin pa kapon. TiPòl pa kapon. Yo pa pè Alix. Yo sèlman vle jwe, yo pa vle fè kont. Yo deside yo pap okipe Alix. Y ap inyore l.

Alix bezwen atansyon. Li vle fè kont pou li ka gen atansyon timoun yo. Men, timoun yo aprann lakay yo, depi yon fawouchè ap chèche yo kont, yo pa dwe okipe l. Si yo okipe l, l ap tou pwofite fè kont avèk yo.

Se Alix sèl ki fawouchè nan katye a. Tout lòt timoun yo antann yo. Lè machann krèm nan pase, si Joslin pa gen kòb, Janklod peye pou li. Si TiPòl gen kòb, li peye pou Janklod. Youn peye pou lòt.

Alix ap gade timoun yo ap bwè krèm. Li deside pwoche yo pou li vin pran krèm yo a kareman.

Papa Janklod parèt. Li fikse Alix yon jan. Msye wè timoun yo gen pwoteksyon. Li ret kanpe lwen. Kounye a, paran timoun yo deside veye li.

Depi paran yo ap siveye a, Alix disparèt. Sanble msye kapon tou. Se sou timoun yo li gen fòs. Li pè granmoun yo.

Se konsa, timoun yo vin gen repo. Janklod ka al woule sèk, TiPòl ka al monte kap, epi, Joslin ak lòt ti zanmi yo ka al fè wonn.

Timoun yo di: “Nou resi gen repo!”

Paran yo kontinye ap veye. Yo konnen yon fawouchè pa demisyone fasil. Se veye pou yo kontinye ap veye l.

Lavi a rekòmanse nòmalman. Timoun yo ka jwe deyò. Yo ka jwe andedan. Lè yo gen ponmkèt pou separe, tout moun jwenn.

Pandanstan an, Alix chita poukont li. Sanble li tris. Sanble li raz. Timoun yo gade l, yo gen lapenn pou li.

Manman Joslin di: “Depi nou wè msye nan katye a, pran distans nou! Fawouchè toujou bezwen fawouche.”

Pandan tout yon semèn, chak jou, yo wè Alix chita sou yon chèz sou laplas la. Kepi ble a kwochi sou tèt li.

Manman Joslin di: “Sanble li gen menm rad la sou li tout semenn nan.”

Janklod ajoute: “Wi, vre! Sanble li vin pi mèg tou. Gen lè li pa manje”!

Joslin mande: “Ou krè li fawouchè toujou? Figi l chanje. Sanble gen yon bagay ki rive l.”

Manman Joslin reponn: “Antouka, rete lwen l. Se atansyon li bezwen. Pa okipe l.”

Sa pa t pran anpil tan pou timoun yo te wè manman Joslin gen rezon. Pandan Franswa ap pase, Alix lonje pye l pou l fè msye tonbe.

Malgre Franswa eskive pye Alix, fawouchè a leve koken. Li di Franswa: “Apa ou frape m?” Franswa pa t vle okipe l, men, msye leve, epi, bow! Li bay Franswa yon baf ak lestomak li.

Timoun ki te pre yo kouri deplase. Papa Franswa ak papa Janklod gen tan parèt.

La menm, fawouchè a pran rak. Li kouri ale. Papa timoun yo di: “Ap toujou gen fawouchè!”

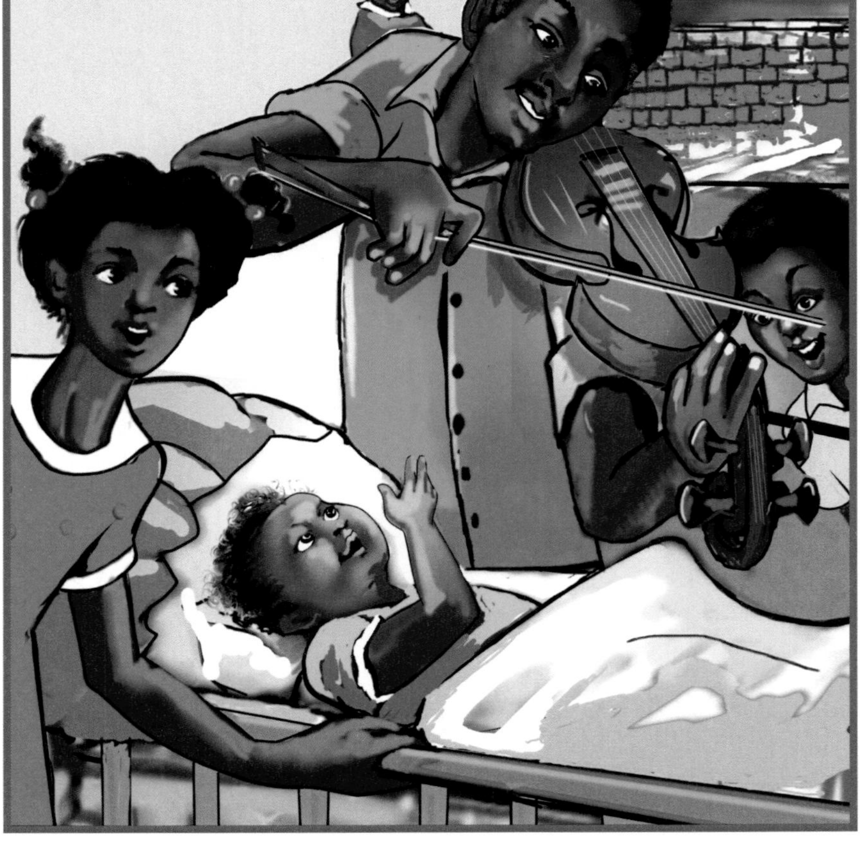

- Antre, timoun! Pa rete deyò a kounye a. Fawouchè a nan lari!

Manman Joslin t ap pare yon kolasyon pou timoun yo. Papa l t ap jwe vyolon. Msye renmen konpoze mizik.

- Timoun, vini m montre nou yon ti chante. Timoun yo pwoche pre bèso ti sè Joslin nan ki gen apenn nèf mwa. Yo akonpaye papa a ki te konpoze yon chante sou fawouchè:

" Imajine yon kote sou latè a
Kote timoun kapab jwe san kè sote,
Kote pa gen fawouchè k ap chache kont
Ni pa gen lagè, ni soufrans ni laperèz..."

Alix Se Fawouchè

Kesyon

1. Dapre istwa sa a, fawouchè se sinonim ak:
   a. Kapon.
   b. Entimidatè.
   c. Frekan.
   d. Vòlè.

2. Dapre istwa sa a, ki moun ki fawouchè a :
   a. Joslin.
   b. Janklod.
   c. Alix.
   d. Franswa.

3. Timoun nan katye a pran abitid...
   a. Rete pre Alix.
   b. Fawouche Alix.
   c. Rete lwen Alix.
   d. Fawouche Franswa.

4. Konte konbyen non timoun ki mansyone nan liv la. Kilès nan repons yo ki vre ?
   a. Alix sèlman, sa fè yon sèl timoun
   b. Alix, Franswa ak Janklod, sa fè twa timoun.
   c. Alix, Janklod, Franswa, Joslin, sa fè kat timoun.
   d. Alix, TiPòl, Janklod, Franswa, Joslin, sa fè senk timoun.
   e. Alix, TiPòl, Janèt, Janklod, Franswa, Joslin, sa fè 6 timoun.

5. Dapre istwa sa a, kilès nan repons yo ki vre:
   a. Manman Joslin fè dous makòs.
   b. Papa Janklod fè ponmkèt.
   c. Joslin achte yon krèm mayi.
   d. Janklod achte yon krèm chokola.
   e. Alix te vin anniye.

6. Chwazi ki sa ou t ap santi si Alix te vwazen ou epi li t ap fawouche ou.
   a. Ou t ap santi ou vle batay avèk li pou ou ba li yon leson.
   b. Ou t ap tris paske li t ap rann lavi ou mizerab
   c. Ou pa t ap renmen soti deyò ditou pou ou pa kontre avèk li.
   d. Ou t ap pral pote plent pou li
   e. ________________________ (Ekri chwa pa ou)

7. Ki sa ti liv sa a aprann ou sou fason ou ta ka reyaji ak yon fawouchè? Ki lòt fason ki diskite nan klas ou a?

   ____
   ____
   ____

8. Konplete paragraf sa a, dapre sa ki ekri nan liv la : Timoun yo pa ________________, yo sèlman vle _________ yo pa vle __________ _____________. Yo deside yo p ap _______________ ___________________. Yo ap __________li.
   Alix bezwen ____________________. Timoun yo aprann lakay yo, depi yon ______________ ap chèche yo kont, se pou yo pa __________________ li.

9. Lè machann krèm nan ap pase, Joslin pa t gen kòb, Janklod di l ap peye pou li. Chwazi ki jan ou ta dekri Janklod:
   a. Li chich.
   b. Li janti.
   c. Li egoyis.
   d. Li fawouchè.

10. An nou di Alix ta vin gen remò epi li pa vle fawouche timoun yo ankò. Li ta vle byen avèk yo. Di osinon ekri ak mo pa ou ki jan istwa a ta ka fini. Kisa Alix t ap di osinon fè. Kisa timoun yo te kapab di osinon fè ?

   ____
   ____

Repons

1. Repons:
   b. Entimidatè

2. Repons:
   c. Alix

3. Repons:
   c. Rete lwen Alix

4. Repons:
   d. Alix, TiPòl, Janklod, Franswa, Joslin, sa fè senk timoun

5. Dapre istwa sa a, kilès nan repons yo ki vre:
   e. Alix te vin anniye

6. Chwazi ___________________________.

7. Reponn ___________________________.

8. Repons:
   Kapon - jwe - fè kont - iyore - atansyon - fawouchè - okipe.

9. Repons:
   b. Li janti

10. Fè deskripsyon ___________________________.